KU-246-405

Si j'étais une Fée...

Marie Lamagie

Elle a vécu dans la Forêt Enchantée,
où elle a enseigné aux jeunes fées, aux lutins
et aux elfes la lecture des runes et l'écriture
de l'alphabet magique. Elle leur a appris avant tout
à voler vers le Pays des Rêves sur les rayons de lune
et les fils de la Vierge.

Alice Jolicœur

Très intéressée par les fées, elle s'est passionnée
pour la Forêt Enchantée, dont elle a longuement rêvé,
les yeux ouverts. Pour ses dessins, elle emploie
surtout l'aquarelle, les collages, les gommettes
et les paillettes, mais elle se sert aussi d'un peu
de magie et de poudre de fée.

circonflexe

Qu'est-ce qu'une fée ?

Traduction de l'anglais
par Pierre Bonhomme

Copyright © Zero To Ten Ltd 2001
Text copyright © Meg Clibbon 2001
Illustrations copyright © Lucy Clibbon 2001
This French edition published under licence
from Zero To Ten Limited, U.K.
All rights reserved
Titre original : Imagine you're a Fairy !
© 2002, Circonflexe pour l'édition en langue française
ISBN 2-87833-305-5
Imprimé en Chine. Dépôt légal : août 2002
Loi n° 49-956 du 16 juillet 1949
sur les publications destinées à la jeunesse

Les fées sont très difficiles à décrire
car elles appartiennent au monde
de l'imagination, non à celui des mots.
On en rencontre très rarement,
mais ceux qui ont eu cette chance disent
que les fées sont plus petites qu'eux
et qu'elles sont très secrètes.
Vivant dans un monde enchanté,
les fées sont des magiciennes.

A quoi ressemblent les fées ?

Il y a de nombreuses sortes de fées.

Elles sont de tailles et d'aspects très divers.

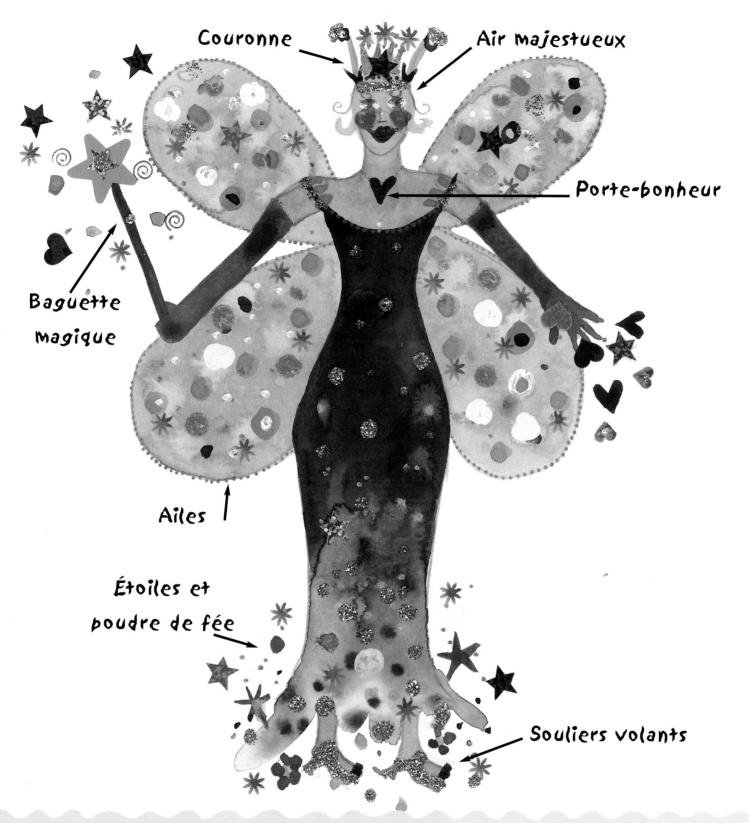

Couronne

Air majestueux

Porte-bonheur

Baguette magique

Ailes

Étoiles et poudre de fée

Souliers volants

Quelle que soit leur apparence, toutes les fées sont très futées et dotées de pouvoirs magiques.

Fées et autres êtres magiques

Les djinns :
très gentils

Les lutins :
vifs et agités

Les gobelins :
petits démons
laids mais malins

Les esprits :
presque
invisibles

Les gnomes : vivent sous terre

Toutes les fées ne sont pas jolies, pourvues d'ailes légères et vêtues de robes à volants. Certaines sont grossières et très vilaines. D'autres sont rancunières, laides et habillées n'importe comment. Il en est de même des autres êtres qui vivent dans leur monde. En voici quelques-uns.

Les diablotins:
très méchants

Les elfes :
malicieux mais
bons copains

Les fées-quenottes :
aiment le voisinage
des hommes

**Les
croquemitaines :**
vivent près
de nous

Les dames blanches :
hurlent tout le temps

Les korrigans

On les rencontre en Bretagne,
sur la lande, près des menhirs. `
Ils ressemblent à de minuscules
vieillards et se régalent de mauvais
hydromel qui les rend plutôt grognons.
Ils enterrent leur trésor dans un pot,
sous un dolmen, et portent deux bourses :
l'une contient une pièce magique,
l'autre de la monnaie de singe.

Les feux follets

*Ils habitent dans des marécages
où ils attirent les hommes
que fascine leur petite flamme.*

Les petits nains

*Ils vivent dans une île dont les habitants croient encore
aux fées. Portant un bonnet rouge et une veste verte,
ils chassent avec des chiens multicolores.*

Où habitent les fées ?

D'où viennent-elles ?

Où vont-elles ?

Personne ne sait vraiment où habitent les fées.
Elles peuvent vivre tout aussi bien dans des grottes
sombres, à vous donner la chair de poule, que dans
de coquettes petites chaumières, ou cachées sous
de délicats champignons, ou même dans des toiles
d'araignée argentées se balançant au vent...
En réalité, personne n'en sait rien.
Elles apparaissent par magie au moment
le plus inattendu puis disparaissent
aussi inexplicablement.

Habits et tenues

Selon les circonstances, les fées ont des tenues différentes.

Tenue de fête

Vêtements pour tous les jours

Déguisement

Tenue de magicienne

Équipement et accessoires

Pour les aider dans leur tâche,
les fées ont besoin d'accessoires très particuliers.

Baguettes magiques

Sac à main

Souliers volants

Cape rendant invisible

Livre de sorts

Potion magique

Poudre de fée

Pollen de sorcière

Nectar de champignon

Ailes

Couronne

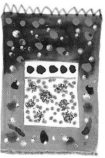

Paillettes

La magie et les sorts

Les fées sont capables de s'envoler, apparaître, disparaître... Pour essayer d'en faire autant, il te faut avoir une baguette magique, quelques ailes, un peu de poudre de fée, une couronne (ou une casquette de sport), un livre de sorts. Et comme ce type de livre utilisé par les fées est très particulier et difficile à trouver, voici quelques exemples de sorts classiques.

Sort secret n° 115

Formule magique de bonne chance

Ce dont tu as besoin :

1 tasse de cœurs de pâquerette

2 cuillerées de boutons de rose

8 cuillerées de rosée du matin

1 trèfle à quatre feuilles (s'il est introuvable,
un trèfle à trois feuilles fera parfois l'affaire)

1 baguette magique

1 mixeur

Comment opérer :

1. Mixe d'abord les pâquerettes, les boutons de rose et la rosée du matin dans un bol.

2. Place le bol à tes pieds.

3. Tiens le trèfle dans ta main droite.

4. Lève la baguette magique de ta main gauche.

5. Ferme les yeux et répète :

« Que mon rêve se réalise ! »

Quand ça tourne mal !

La magie, c'est très compliqué, et les fées sans expérience font souvent n'importe quoi. C'est ainsi que plusieurs d'entre elles se sont écrasées au sol pour ne pas avoir pris assez soin de leurs ailes. Attention aussi à la poudre de fée : elle a le triste inconvénient de faire éternuer. Quant à apparaître par magie au mauvais endroit et à la mauvaise heure, c'est très embarrassant. Et que dire d'un sort magique qui peut transformer en cauchemar un rêve délicieux ? Enfin, il n'y a pas que des bonnes fées. Certaines sont méchantes et font tout pour que les choses tournent mal.

Sort secret n° 409

Formule magique pour faire le mal partout

Ce dont tu as besoin :

1 tasse d'eau

3 vieux marrons (ou trois glands)

1 poignée de poussière d'un terrain de jeux

2 morceaux de ruban adhésif

1 cuillerée de terre

4 vieilles feuilles de chêne

Comment opérer :

1. Mets tous les ingrédients dans une vieille boîte en fer, à la pleine nuit (vers 9 heures).

2. Place la baguette magique dans la position A (voir page suivante).

3. Crie « Dame blanche ! Dame blanche ! » et le sort fonctionnera.

Exercices de baguette magique

Tiens fermement la baguette. Déplace-la avec douceur.
Concentre-toi soigneusement.

Astique la baguette après t'en être servi. Range-la en lieu sûr.

A. Jeter des sorts

B. Transformer des grenouilles en princes

C. Faire se réaliser des rêves

D. Disperser de la poudre de fée

Exercices de haut vol

Pour obtenir de bons résultats, exerce-toi à voler quand personne ne regarde. Évite les terrains bâtis.
Essaie d'atterrir en douceur.

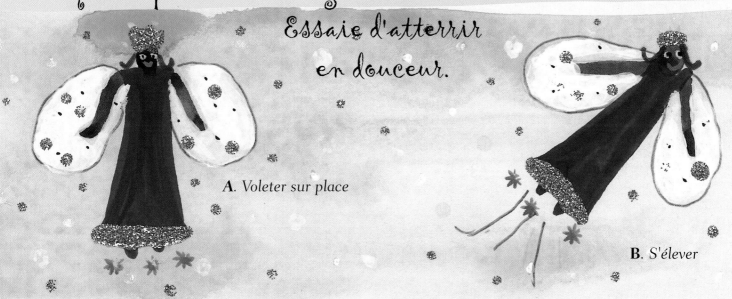

A. Voleter sur place

B. S'élever

Après usage, polis les ailes avec de la poudre de fée, puis pends-les dans le vestiaire des fées.

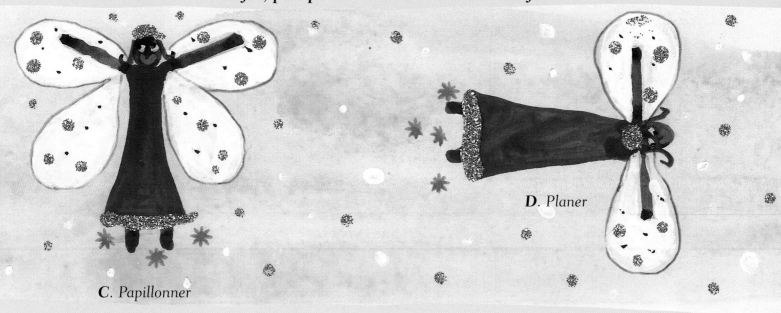

C. Papillonner

D. Planer

Les fées marraines

Prenant une forme humaine, ces fées sont très spéciales.
Elles peuvent être jeunes ou d'un certain âge,
mais le plus souvent il s'agit de vieilles dames
au visage ridé et au bon sourire engageant.
Les fées marraines sont invitées aux anniversaires
de leurs filleuls et filleules. Les parents des enfants
espèrent qu'elles leur feront des cadeaux pratiques :
la santé, la gentillesse, la vaillance, la patience,
la gaieté, l'obéissance, la chance... Mais sans doute
préférerais-tu des jouets ou du chocolat.

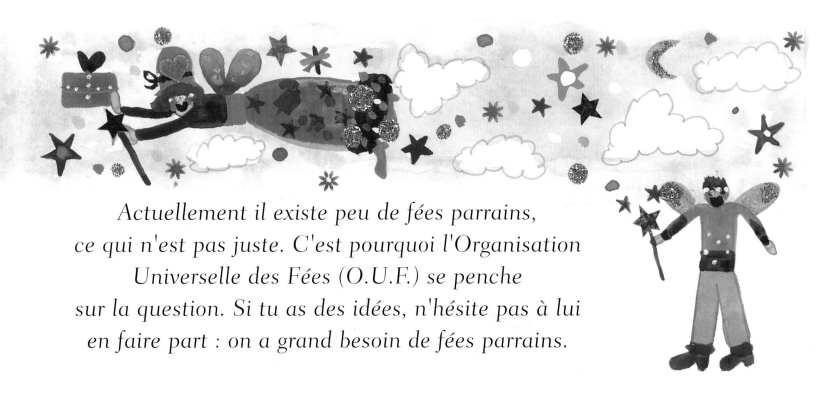

Actuellement il existe peu de fées parrains,
ce qui n'est pas juste. C'est pourquoi l'Organisation
Universelle des Fées (O.U.F.) se penche
sur la question. Si tu as des idées, n'hésite pas à lui
en faire part : on a grand besoin de fées parrains.

L'O.U.F.

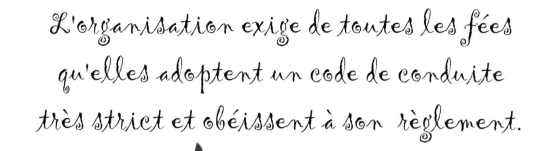

L'organisation exige de toutes les fées qu'elles adoptent un code de conduite très strict et obéissent à son règlement.

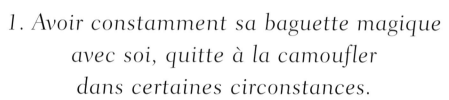

1. Avoir constamment sa baguette magique avec soi, quitte à la camoufler dans certaines circonstances.

2. Être toujours sur ses gardes, car de méchantes fées peuvent à tout moment jeter des sorts horribles.

3. Prendre bien soin de ses ailes. Les suspendre le soir avant de se coucher et les polir une fois par semaine avec de la poudre de fée.

4. Ne jamais tirer la langue à une fée marraine ou au roi des fées, si l'on ne veut pas être transformé en citrouille.

Devise : Imagination, Magie, Illusion

La Forêt Enchantée

1. Nuages de fils de la Vierge - les rêves se réalisent si l'on dort dans un de ces nuages.

2. Atelier des fées-quenottes - elles recueillent les dents de lait des enfants et les broient pour en faire de la poudre de fée.

3. Les étoiles - sont utilisées dans les rêves et pour la fabrication des paillettes.

4. École de pilotage.

5. Buffet - un endroit sûr pour conserver la poudre magique.

6. Polisseurs d'ailes - une équipe d'elfes spécialement formés au polissage des ailes de fées.

7. **Boutique** - *les fées y achètent leurs équipements spéciaux.*

8. **Magasin de baguettes magiques** - *vente de baguettes neuves et réparations.*

9. **Cercle des fées** - *piste de danse pour les fées.*

10. **Puits des vœux** - *son eau est employée pour les potions magiques.*

11. **Champignons** - *lieux de recueillement et maisons des fées.*

12. **Berceaux en toile d'araignée** - *les bébés des fées n'y pleurent jamais quand on les berce.*

13. **Jardin** - *ou potager des fées.*

L'Agenda des fées

1. S'exercer à la baguette magique.

2. Préparer les potions à porter
aux malades de la Forêt Enchantée.

3. Arroser les fleurs
et les légumes du potager.

4. Imaginer de nouveaux sorts
et réviser les anciens.

5. Cirer les ailes, les baguettes magiques
et les souliers volants.

6. Convoquer les membres de l'O.U.F.
au bal du clair de lune.

7. Fabriquer des biscuits magiques
pour le goûter.

Mots de fées

Baguette magique

Citrouille

Disparaître

Fils de la Vierge

Magie

Rayon de lune

Invisible

Toiles d'araignée

Abracadabra

Secrets

Champignons

Méchanceté

Si les fées sont très fortes pour jeter des sorts, elles ne sont pas douées en orthographe. Pourrais-tu les aider à mettre l'un à côté de l'autre le singulier et le pluriel de ces mots :

Berceau Ronces	**Hiboux Fil**	**Ronce Vœux**
Vœu Lutins	**Bijou Berceaux**	**Lutin Bal**
Bals Œil	**Fils Bijoux**	**Yeux Hibou**

Avec les lettres composant les mots FORÊT ENCHANTÉE, tu peux en écrire d'autres. Par exemple : CHANT, FÊTE... Ou encore ?

Les fées célèbres

La Fée Clochette

Cette jolie petite fée habite le pays
de Nulle Part dans le roman *Peter Pan*,
de J.M. Barrie. Elle s'y amuse beaucoup
avec Peter Pan et les Garçons Perdus,
jusqu'à ce qu'une fille appelée Wendy
vienne habiter chez eux.
Clochette en devient alors si jalouse
qu'elle invente un tas de méchancetés,
manquant ainsi de perdre
son pouvoir magique.
Mais tout finira
bien...

Titania, Oberon et Puck

Ce sont les trois fées
de la pièce de Shakespeare,
Le songe d'une nuit d'été.
Titania est la très belle Reine des Fées,
Obéron leur puissant Roi. Aidés de Puck,
leur petit domestique, ils jettent
des sorts qui rendent la vie difficile
à tous. Mais ici aussi l'histoire
se terminera bien,
et c'est beaucoup
mieux comme ça.

Fées marraines célèbres

Les plus connues d'entre elles apparaissent
dans les contes de *Cendrillon*
et de *La Belle au bois dormant*.
Dans chacun de ces contes,
les belles et jeunes héroïnes
ont bien besoin de leur marraine.
Cendrillon a envie d'un carrosse,
de pantoufles de vair, d'un prince charmant,
d'une superbe robe de bal, d'on ne sait quoi encore...
Sa très gentille marraine va faire le nécessaire...

La Belle au bois dormant est endormie
dans un buisson de roses.
Elle y serait à jamais si sa bonne marraine la fée
ne s'arrangeait pas pour qu'un prince charmant
de passage ne la délivre en l'éveillant d'un baiser.
Quel réveil merveilleux !

Travaux pratiques

Poudre de fée

Cette poudre va te permettre de bien pratiquer
la magie. Fabrique-la en mélangeant :
1 pincée de paillettes argentées
1 pincée de paillettes dorées
1 pincée de petites gommettes dorées.
Mets ce mélange dans un petit flacon étiqueté
« Poudre de fée ».
Emploie la poudre en petites quantités
où et quand il le faut.

Fabriquer une couronne

Découpe une bande de papier d'argent
assez longue pour en faire le tour de ta tête.
Colle les deux bouts ensemble
et décore la couronne de formes magiques
que tu inventeras.

Fabriquer une baguette magique

Les baguettes magiques servent à faire apparaître
et disparaître les choses. Elles sont aussi très utiles
pour jeter des sorts. Pour en fabriquer une,
découpe une grande étoile et décore celle-ci
avec des paillettes, des petites étoiles et des cœurs.
Fixe-la ensuite au bout d'une longue baguette
que tu auras peinte de la couleur de ton choix.

Barres au chocolat des fées

Il te faut :

75 g. de beurre

75 g. de céréales pour petit déjeuner

1 cuillerée à soupe de miel liquide

2 barres au chocolat

des fleurs fraîches pour la décoration

Recette

Mets le beurre dans une casserole. Ajoute les barres et le miel.
En présence d'un adulte, fais fondre le tout en chauffant doucement.
Arrête le feu et verse les céréales en remuant jusqu'à ce qu'elles soient
bien mélangées. Verse le mélange sur une plaque graissée et découpe-le
en barres lorsqu'il est presque froid. Pose les barres sur un joli plat et décore-les
avec des pétales de fleurs. (Elles disparaîtront comme par magie !)

Apprendre à s'envoler

D'abord, tu as besoin d'ailes. Fabrique-les en les découpant dans un morceau
de mousseline ou de tissu brillant. Pour cela, demande à ta fée marraine
de t'aider. Puis décore les ailes avec des étoiles, des cœurs et des paillettes.
En réalité, très rares sont les fées qui savent elles-mêmes s'envoler mais,
si tu cours et si tu sautes dans le jardin en battant l'air de tes bras ailés,
tu auras presque l'impression de voler.